Jon Scieszka

HATSCHEPSUT

Mit besonderem Dank an Catharine Roehrig,
Außerordentliche Kuratorin für ägyptische Kunst
am Metropolitan Museum of Art

Für die Ägyptologen in der fünften Klasse der
Berkeley Carroll School

Die drei Zeitverdreher

TUT TUT!

von **Jon Scieszka**

Mit Illustrationen von
Lane Smith

Aus dem Amerikanischen
von Wolfram Sadowski

tabu verlag

1

Ich öffnete die Tür zu meinem Zimmer und blickte auf eine entsetzliche Szene. In König Tuts Grab stand eine riesige Frau. Unmittelbar hinter dem Grab kauerte eine Katze, die sogar noch größer war.

„Anna!", brüllte ich. „Was machst du da?"

Sam und Fred drängten hinter mir ins Zimmer hinein.

„Sie macht uns unsere Arbeiten zur altägyptischen Geschichte kaputt", sagte Fred. Er warf eine Figur aus seinem Schaukasten, die da gar nicht hinein gehörte. „Miss B. würde mich umbringen, wenn sie den G.I. Joe in meiner ‚Darstellung einer Mumifizierung' entdecken würde."

Sam nahm noch ein paar andere Spielfiguren heraus.

„Sie wäre ganz bestimmt entzückt über Spiderman in meiner Totenbuch-Schriftrolle und über Barbie in Joes ‚Grab des Königs Tut'."

„Das ist nicht Barbie. Das ist die Göttin Isis", sagte Anna.

„Ich hab gar nicht gewusst, dass Isis Schuhe mit hohen Absätzen getragen hat", sagte ich. „Und würdest du bitte die blöde Katze da von dem Grab wegholen! Sie beleckt gerade die Grabkammer."

Anna nahm die Katze und ihre Puppe und setzte beide auf ihren Schoß.

„Cleo ist keine blöde Katze und sie hat auch gar nicht deine blöde Grabkammer abgeleckt. Sie hat Isis gerade dabei geholfen, die bösen Grabräuber davon abzuhalten, dass sie in das Grab der Königin Pharao einbrechen."

„Du kannst einem wirklich auf den Wecker gehen", sagte ich. „Und das zeigt mal wieder, wie viel du über das alte Ägypten weißt. Nur Könige sind Pharaonen gewesen. Sie haben niemals Frauenpharaonen gehabt."

Ich wischte den Katzensabber von meinem Modell vom Grab des Königs Tut ab.

„O doch, haben sie wohl", sagte Anna.

„O nein, haben sie nicht", sagte ich und äffte Annas Tonfall so gehässig nach, wie ich nur konnte.

„Also, und wer ist das dann?", fragte Anna. Sie schlug eins von den Büchern auf meinem Schreibtisch auf und zeigte auf ein Bild.

Sam rückte seine Brille zurecht und beugte sich vor, um es sich genauer anzusehen. „Also, *das da* ist die Göttin Isis. Das sieht man doch, weil sie dieses Ding da auf dem Kopf hat, das wie ein Stuhl aussieht. Und da in der Hieroglyphe neben ihr ist dieselbe Form von einem Thron. Das ist so 'ne Art Ornamentunterschrift von ihr."

„Pharaonen wurden gewöhnlich so dargestellt, dass sie die weiße Krone und/oder die rote Krone von Unterägypten trugen", sagte Fred in nachgeahmtem Lehrerton. Er schnippte den Schirm seiner Baseballmütze hoch. „Nur die Pharaonen, die am meisten Ehrfurcht geboten, haben die Krone von Toronto mit dem blauen Eichelhäher getragen."

„Aber ich habe ein Bild von einer Frau gesehen, die zwei Pharaonenkronen getragen hat", sagte Anna.

„Ich wette mit dir um dein Wochentaschengeld, dass du das nicht gesehen hast", sagte ich.

„Hab ich doch, wetten?", sagte Anna, setzte Cleo ab und schaute den Stapel Bücher über Ägypten durch.

„Und in der Woche, in der eigentlich ich dran bin, musst du auch noch das Katzenklo für mich sauber machen", fügte ich hinzu.

Sam nahm seine Schriftrolle und zeichnete der Figur des Verschlingers in der Szene, in der gerade das Herz abgewogen wird, noch ein paar Zähne ein. Dann trat er einen Schritt zurück, um alle drei Arbeiten zu bewundern.

„Meinen Glückwunsch an jeden von uns", sagte Sam. „Hier haben wir drei ausgezeichnete Arbeiten über das alte Ägypten, die schon einen ganzen Tag vor dem Abgabetermin fertig sind, und keiner hat auch nur daran gedacht, ein gewisses *Buch* als Hilfe bei unserer Forschungsarbeit zu benutzen."

Fred kehrte seine Blaue-Eichelhäher-Mütze von innen nach außen und balancierte sie verkehrt herum auf seinem Kopf. „Muss wohl daran liegen, dass wir allmählich schlauer werden."

„So weit würde ich nicht gehen", sagte Sam.

„Ich spüre immer noch den Zeitunterschied von unserem letzten Abenteuer", sagte ich. „Und außerdem habe ich versprochen, *Das Buch* nicht wieder zu gebrauchen, bis ich nicht jeden noch so kleinen Hinweis und jede Regel da drin kapiert habe."

„Aha!", brüllte Anna. „Hier ist es."

Cleo sprang auf den Schreibtisch und rieb ihren Hals an dem Buch, das Anna vor sich hielt.

„Ich hab's gefunden. Ein Bild von einer Frau, die beide Kronen trägt." Anna hielt ein dünnes blaues Buch mit verschlungenen silbernen Zeichen hoch.

Auf den Würfelzuckerstufen von König Tuts Grab begannen sich blassgrüne Nebelwölkchen zu bilden.

„Nein!", schrien Fred, Sam und ich wie aus einem Mund. Fred und ich hechteten nach dem *Buch*. Sam hechtete nach der Tür. Mitten im Sprung knallten wir

zusammen und landeten in einem Knäuel auf dem Boden.

„Ja, das ist es", sagte Anna. Sie kraulte Cleos Kopf und sah sich das Bild im *Buch* aufmerksam an. „Seht ihr, da ist die weiße Krone …"

„Ich will keine Mumie werden", stöhnte Sam in der grünen Wolke, die sich zusammenzog.

„… und da ist die rote Krone."

Ein Gewölk aus dichtem grünen Nebel quoll auf und verhüllte *Buch*, Schwester und Katze.

„Jetzt geht das schon wieder los", sagte Fred.

Dann verschlang uns der Nebel, und weg waren wir.

2

Also, bevor die Sache jetzt außer Kontrolle gerät (und du weißt ja, das passiert bestimmt, sobald wir landen), möchte ich einen Augenblick dazu nutzen, ein paar Dinge zu erklären.

Erst einmal – ich hatte keine Ahnung, was da auf mich zukam, als mir mein Onkel Joe *Das Buch* zum Geburtstag schenkte. Dann stellt sich heraus, dass es kein gewöhnliches Buch ist. Das Ding ist eine Zeitmaschine. Jedes Mal, wenn wir es aufschlagen, bringt es uns in eine andere Zeit. Was sich so anhört wie ein riesiger Spaß. Aber da gibt es ein kleines Problem. Die einzige Möglichkeit, in unsere Zeit zurückzukehren, besteht darin, *Das Buch* in der anderen Zeit zu finden. Und immer, wenn wir uns auf eine Zeitreise begeben, hat *Das Buch* die gemeine Angewohnheit zu verschwinden.

Die Suche nach dem *Buch* hat uns in Schwierigkeiten gebracht am Hof von König Artus, auf dem Piratenschiff von Schwarzbart, in einer Steinzeithöhle und an Orten, von denen du nicht einmal etwas hören willst.

Also meinst du wohl, wir hätten endlich herausgefunden, wie man *Das Buch* benutzt, ohne es zu verlieren.

Na ja … haben wir eben nicht. Und wenn du irgendwelche schlauen Ideen hast, was wir tun sollten – behalte sie für dich.

Tut mir Leid, wenn ich ein bisschen sauer klinge. Aber diese Sache mit dem *Buch,* das immer wieder verschwindet, geht mir allmählich auf die Nerven. Ich habe Sam und Fred geschworen, dass ich dem *Buch* auf die Schliche käme, noch bevor es uns auf irgendeine weitere Zeitreise schicken würde. Und da musste dann meine wundervolle Schwester daherkommen und uns wieder in denselben Schlamassel bringen. Ich müsste vielleicht einfach einmal meine Mutter unverblümt über *Das Buch* befragen. Sie hat es Onkel Joe gegeben, und mich beschleicht so ein Gefühl, dass sie mehr weiß, als sie im Augenblick sagt.

Wenn du irgendeins von den anderen Abenteuern der drei Zeitverdreher gelesen hast, dann weißt du genauso gut wie ich, was als Nächstes passiert. Mit Sicherheit landen wir in irgendwelchen Schwierigkeiten. Nur dass ich diesmal noch zusätzlich die Sorge habe, eine kleine Schwester im Auge zu behalten und auch noch ihre Katze. Na großartig!

Wünsch mir viel Glück und lies weiter. Ich wette mit dir um dein Taschengeld und eine Woche Katzenklo-Saubermachen, dass wir im Grab von König Tut landen … oder an einem noch schlimmeren Ort.

〉

◆ bwohl wir nun schon so oft die Zeit verdreht
haben, habe ich mich noch nie daran gewöhnt. Es
ist so, als würde man träumen zu fallen, im Meer da-
hinzutreiben und sich auf dem Jahrmarkt auf einer
dieser scheußlichen Fahrten in so einem Teetassen-
sessel um sich selbst zu drehen, und das alles auf einmal. Man wird groß. Man wird klein. Man wird ver-
bogen. Dann ist man wieder man selbst.

Als die Zeitverdrehungs-Teetassensessel-Fahrt schließlich aufhörte, fanden Fred, Sam und ich uns in dem-
selben Knäuel wieder, in dem wir im Jahr 1998
gewesen waren. Aber der staubige Steinboden und das
seltsame Licht ähnelten ganz und gar nicht meinem
Zimmer im Jahr 1998.

Fred rückte sich seine Blaue-Eichelhäher-Mütze zurecht und sprang auf die Füße. „Seht euch das hier
mal richtig an. Statuen, Malereien, Hieroglyphen.
Wir müssen wohl ins Grab von König Tut zurückge-
reist sein."

„Ach, was für eine Überraschung!", sagte Sam, der
immer noch mitten auf dem Fußboden saß. „Und
lasst mich mal raten – *Das Buch* ist nirgendwo in
Sicht."

Ich sah mich in dem kleinen steinernen Raum um. Eine Gruppe von Statuen und solchen Sachen stand bei Fred in der Ecke kunterbunt durcheinander. Ein *Buch* gab es nicht und auch keine kleine Schwester Anna oder ihre Katze Cleo.

„Nur keine Panik!", sagte ich. „Diesmal machen wir uns einen Plan. *Das Buch* ist gewöhnlich irgendwo in der Nähe. Also finden wir erst einmal Anna, dann *Das Buch* und drehen uns durch die Zeit zurück und hier raus, bevor wir noch in irgendwelche Schwierigkeiten kommen."

„Großartiger Plan, furchtloser Anführer", sagte Sam. „Nur dass ich mich hier nicht von der Stelle rühre, weil ich gern meine Hände behalten möchte."

Fred kam zu uns rüber und hatte eine goldene Kobrakrone um seine Mütze gewunden.

„Wir sind reich! Mit diesem irren *Buch* haben wir schließlich doch noch eine Goldader angeschlagen. Einen richtigen Schatz."

„Was meinst du damit – du willst deine Hände behalten?", fragte ich Sam.

„Ihr Ägyptologen-Unterklässler scheint vergessen zu haben", sagte Sam in lehrerhaftem Ton, „dass die Obrigkeit gewöhnlich jeden Grabräuber bestraft hat, indem sie ihm die Hände abhackte. Also bleib ich genau an dieser Stelle. Mich wird niemand einen Grabräuber nennen."

Fred ging zu den Statuen zurück.

„Ach komm schon, du Feigling. Ein paar Goldstücke werden die doch gar nicht vermissen."

Ich blickte Sam an, der auf seinen Händen saß. Ich blickte Fred an, der im Schatz eines Toten herumwühlte.

„Sagt mal, spinnt ihr beide? Fred, geh da weg von dem Zeug. Sam, los jetzt, auf die Beine. Wir werden *Das Buch* finden, meine Schwester finden und ihre Katze und hier verschwinden, noch bevor …"

Ein lauter Knall hallte draußen durch den Gang. Noch ein paar Lichter flackerten auf. Eine wütende Stimme brüllte.

„Meine Hände", jaulte Sam und steckte sie unter die Achseln.

„So 'n Mist", sagte Fred und versuchte, sich die Kobra von der Mütze zu reißen.

Die Stimme klang immer lauter.

„Sie kommen in diese Richtung", flüsterte ich. „Versteckt euch."

Wir rannten im Kreis herum und suchten nach etwas, egal was, wohinter wir uns verstecken konnten. Alle drei sahen wir die Statuen in der Ecke und jeder hatte dieselbe Idee. Wir sprangen hinter die Statuen und erstarrten in einer Pose gerade in dem Augenblick, als gleißendes Fackellicht den Raum durchflutete.

Ein rundlicher, glatzköpfiger Mann in einem weißen Gewand und mit Sandalen an den Füßen hielt die Fackel und einen peitschenartigen Prügel, den er

durch die Luft und auf zwei größere Burschen herabzischen ließ, die eine große bemalte Kiste schleppten.
„Ihr Dummköpfe. Ich kann gar nicht glauben, dass ich euch jemals einen Platz im ewigen Leben angeboten habe. Eure Mutter muss ein blindes Nilpferd gewesen sein und euer Vater ein dreibeiniger Esel. Wenn da drin irgendetwas kaputtgegangen ist, dann …"
Und dabei fing der widerliche kleine Kerl an, seine Peitsche durch die Luft sausen zu lassen, als würde er gegen eine ganze Armee kämpfen.
„Ja, Euer Gnaden", sagte der eine, der einen weißen Rock anhatte.
„Danke, Euer Gnaden", sagte der andere.

„Bringt das Übrige in den nächsten Raum. Und wenn ihr auch nur ein einziges winziges Amulett oder *Uschebti* zerbrecht, dann sorge ich dafür, dass euch die Götter in alle Ewigkeit eine Barke in den flammenlodernden Seen der Unterwelt rudern lassen. Ab mit euch!"

Die beiden Typen eilten davon und ließen ihren Anführer über den Schatz gebeugt zurück. Ich hatte keine Ahnung, wer dieser Kerl war, aber wegen dem merkwürdigen Blick in seinen Augen dachte ich mir, dass er nichts Gutes im Schilde führte. Dann fing er an, ein Selbstgespräch zu führen, wie das Bösewichte in Filmen immer machen, und da *wusste* ich, dass er nichts Gutes im Schilde führte.

„Mein Plan klappt perfekt. Sobald der Tempel des Pharaos vollendet ist, wird *mein* Tempel vollendet sein. Dann geben mir diese geheimen Räume und Schätze eine Macht im nächsten Leben, größer als die von irgendeinem Pharao. Alle werden sich an meinen Namen erinnern und ihn verehren – der große Priester Schaiskal."

Fred warf mir einen Blick zu. Wenn er dachte, was ich dachte, dann hätten wir schwören können, dass der Typ gesagt hatte, er hieße Scheißkerl. Ich hatte mich gerade davon überzeugt, dass das nicht stimmen konnte, als er wieder anfing.

„Der große Schaiskal. Schaiskal, Gebieter höchster Ehrfurcht. Wunder aller Wunder, Schaiskal." Der kleine glatzköpfige Kerl schritt in dem Raum auf und ab und probierte seine verschiedenen Namen aus. Fred, Sam und ich bissen uns auf die Lippen und versuchten, nicht in schallendes Gelächter auszubrechen.

Er ging zur Tür und warf einen letzten Blick auf seinen Schatz zurück. Wir waren schon fast in Sicherheit. Dann sagte er: „Großartiges, ruhmreiches, überaus Ehrfurcht gebietendes Wunder aller Wunder … Schaiskal."

Das gab uns den Rest. Fred prustete lachend heraus. Schaiskal hüpfte einen Meter in die Luft.

Sam und ich konnten uns nicht länger beherrschen. Wir fielen auf den Boden und kringelten uns vor Lachen. Kaum hatten wir es einigermaßen geschafft, in unserem Gebrüll einzuhalten, als Schaiskal seine Fackel in unsere Richtung hielt. „Diebe! Wie könnt ihr es wagen, Schaiskals Tempel zu schänden?!"

Bist du jemals irgendwo gewesen, wo du auf keinen Fall lachen darfst, dich aber einfach nicht zusammennehmen kannst? An genau so einem Ort waren wir.

„Scheißkerl?", lachte ich.

„Starre Standbilder", kreischte Fred.

„Keine Räuber!", brüllte Sam.

Wir lachten so sehr, dass wir kaum zu Atem kamen.

Schaiskal sah nicht so aus, als würde er das komisch finden. Tatsächlich sah er wütend genug aus, uns umzubringen.

4

Als wir erst einmal zu lachen aufhörten, dämmerte es uns schließlich, dass wir in ernsten Schwierigkeiten waren. Schaiskal stellte uns nebeneinander an der Wand auf und fuchtelte mit seiner Peitsche umher.

„Diebe. Ungeziefer. Krokodildreck. Woher kommt ihr Räuber in diesen merkwürdigen Gewändern und Sandalen? Antwortet!"

Sam war der Erste, der sich wieder erholte und einfach drauflosplapperte.

„Räuber? Nein, mein Herr. Wir sind keine Räuber. Wir kommen aus … hmmm … einem anderen Land. Aber wir sind keine Räuber."

Sam schob seine Hände tief in die Taschen. „Wir nicht. Keineswegs."

Schaiskal ließ seine Peitsche durch die Luft sausen. „Wie seid ihr dann in diesen geheimen Raum gekommen?"

„Würden Sie an Magie glauben?"

Schaiskal trat einen Schritt zurück und sah plötzlich so aus, als hätte er ein klein wenig Angst. „Magie? Ihr seid Schüler der Isis? Ihr habt Macht über dieses Leben hinaus?"

„Jaa, so ungefähr", sagte Fred. Dann schob er mich plötzlich nach vorn. „Joe hier ist in der Tat der mächtigste Magier in unserem Land."

„Danke, Fred", sagte ich und boxte ihn so fest gegen den Arm, wie ich nur konnte.

Schaiskal klopfte sich mit dem Peitschenstiel gegen das Kinn. „Magier, sagt ihr? Hmmmm. Dann zaubert mir mal Edelsteine, Elefantenzähne, einen lebenden Pavian her."

Ich konnte es einfach nicht glauben, dass ich wieder dran war. Für jemanden, der nicht einmal die offiziellen Papiere als anerkannter Zauberer besitzt, kriege ich wirklich schrecklich viel Arbeit. Ich zerbrach mir das Gehirn, um einen guten Trick zu finden.

„Edelsteine und Affen? Das ist doch was für kleine Kinder. Ich kann Wunder vollbringen, von denen Sie noch nie geträumt haben", sagte ich und versuchte damit, Zeit zu gewinnen. „Aber zuerst brauche ich ein paar Dinge. Haben Sie ein dünnes blaues Buch? Ungefähr so groß? Mit silbernen Zeichen auf der Vorder- und Rückseite? Das ist so eine Art Buch darüber, wie in unserem Land alles funktioniert."

„Anweisungen für das Leben nach dem Tod?", fragte Schaiskal. Er holte ein kleines, in ein Leinentuch eingewickeltes Päckchen aus der Kiste heraus und reichte es mir. Ich konnte es kaum glauben, dass wir *Das Buch* so leicht gefunden hatten. Schließlich wendete sich unser Schicksal doch noch.

„Großartig", sagte ich. „Jetzt treten Sie mal zurück."
Ich wickelte das Leinentuch ab und holte ... eine
Schriftrolle mit Zeichnungen und Hieroglyphen heraus. Unser Schicksal war ganz sicher dabei, sich zu
wenden. Zum Schlimmeren.

Sam stöhnte auf. „Das ist ein Buch für das Leben nach
dem Tod, ganz richtig. Es ist ein Buch der Toten. Und
genau die, nämlich Tote, werden wir bald sein, wenn
du dem netten Mann da nicht ein paar Zaubertricks
zeigst, Joe."

„Herzlichen Dank für deine Hilfe, Magier Sam",
sagte ich. Dann erblickte ich einen kleinen Fetzen
Papyrus, ungefähr so groß wie ein Dollarschein,
und ich erinnerte mich
an einen klassischen
Trick. „Mit Ihrer
Erlaubnis werde
ich Ihnen zei-
gen, dass wir
Magier schnel-
ler sind als
irgendjemand
sonst", sagte ich
zu Schaiskal.
Mit der linken
Hand hielt ich
das Stück
Papyrus zwischen den

abgespreizten Daumen und den Zeigefinger meiner rechten Hand.

„Ich lasse das Papyrus fallen. Ich fange es mit Daumen und Zeigefinger. Ich lasse es fallen. Ich fange es. Leicht, ja?"

Schaiskal nickte.

„Dann wollen wir einmal sehen, ob Sie so schnell sind wie ein Magier. Ich lasse es fallen. Sie fangen es."

Schaiskal streckte seinen Daumen und Zeigefinger hin. Ich steckte das Papyrus dazwischen und fragte: „Fertig?"

„Natürlich."

Ich ließ das Papyrus fallen. Er griff meilenweit daneben.

„Ich war noch nicht fertig."

Ich ließ es wieder fallen. Er griff wieder daneben.

„Das Licht ist so trüb."

Griff wieder daneben.

„Ich hab irgendwas im Auge gehabt."

Nicht einmal nahe dran.

„Genug!" Schaiskal schnitt mit der Peitsche durch die Luft. Er war immer noch wütend, aber man merkte, dass er uns schon mit anderen Augen ansah. Ich dachte mir, es wäre besser, ihn weiter rätseln zu lassen, so lange ich es fertig brachte, dass er uns glaubte.

„Noch eine einfache Aufgabe." Ich legte das Stück Papyrus auf den Fußboden, ungefähr einen halben Meter von der Wand weg.

„Stellen Sie sich mit den Hacken gegen die Wand. Bücken Sie sich und heben Sie das Papyrus auf, ohne die Füße zu bewegen."

Schaiskal runzelte die Stirn. „Das ist einfach für einen großen Priester. Hier, halt mal die Fackel."

Schaiskal stellte sich mit den Hacken an die Wand, bückte sich vor und fiel um ein Haar auf die Nase. „Ich hab's nicht wirklich versucht." Schaiskal fing noch einmal an und bückte sich langsam nach vorn.

Sam und Fred gaben mir das Daumen-nach-oben-Zeichen. Schaiskal schwankte.

„Sie sehen also, wir sind wirklich Magier", sagte Sam. „Wir sind keine Räuber."

„Jaa", sagte Fred. „Wir haben gedacht, das hier sei das Grab von König Tut. Wir haben nicht einmal gewusst, dass es Ihr geheimer Raum im Tempel des Pharaos ist."

Schaiskals Augen verengten sich zu kleinen Schlitzen. Das sah nicht so aus, als würde es etwas Gutes bedeuten. „Ja, ihr wisst tatsächlich, dass dies hier mein geheimer Raum ist, nicht wahr?"

„Oh, aber machen Sie sich da keine Sorgen", sagte Sam. „Wir werden's niemandem sagen, wirklich."

„Wirklich", sagte Schaiskal. „Nein, ich vermute, ihr werdet das nicht tun." Er rieb sich seine Glatze und warf uns einen komischen Blick zu. „Also, woran denke ich bloß? Der Pharao wäre über mich sehr verärgert, wenn ich solche großen Magier nicht mit den gebührenden Geschenken begrüßen würde. Kommt mit."

Schaiskal führte uns unter dem Torbogen hinaus und durch ein Labyrinth von Gängen nach links und rechts, nach oben und unten und wieder rings herum. Die Wände waren übersät mit bunt bemalten Skulpturen von Göttern und Göttinnen. Ich entdeckte den, der mein Lieblingsgott war – Thoth, den ibisköpfigen Gott des Schreibens.

Wir schlüpften durch einen Spalt in der Steinwand, und hinter einem Vorhang kamen wir heraus in einen riesigen Raum voller Statuen, Krüge, Kronen und Millionen von Gegenständen, die vor lauter Gold und Juwelen nur so funkelten. Plötzlich war Schaiskal unser bester Freund.

„Nehmt euch, was euer Herz begehrt", sagte er. „Der Schatz des Pharaos ist euer Schatz."

Fred hob einen kleinen Mumiensarg aus Gold auf. Schaiskal half Sam dabei, sich etwas um den Hals zu legen, das die Form eines Falken hatte und größer war als Sam selbst. Ich schwankte hin und her zwischen einer goldenen Statue von Osiris und einem phantastisch aussehenden Dolch.

„Prima Arbeit, das mit den Papiertricks", flüsterte Fred. „Du hast ihn absolut an der Nase herumgeführt."

„Bloß ein bisschen Wissen über Reflexe und den Schwerpunkt des menschlichen Körpers", sagte ich bescheiden. „So was bringt niemand fertig, aber er weiß das nicht." Ich probierte ein paar Skarabäus-ringe an.

Sam hielt sich einen Krummstab und einen Dresch-flegel gekreuzt vor die juwelenbesetzte Brust. „König Sam."

„Aber wie kommt es, dass er unsere Sprache spricht?", fragte Fred. „Oder verstehen wir Ägyptisch?"

„Es gibt da immer so eine Art unmittelbaren Übersetzungseffekt, der in allen Zeitreisebüchern vorkommt, die ich je gelesen habe", sagte Sam. „Weil, wenn sie den nicht hätten, keine von den Figuren verstehen würde, was die andere gerade gesagt hat."

„Aha", sagte Fred.

Ich entschied mich schließlich für den Dolch und eine Halskette mit einem *Anch*-Symbol. „Jaa, ich muss das mal in dem *Buch* nachschlagen, wenn wir es finden."

„Tu uns allen einen Gefallen", sagte Sam und rückte sich seinen neuen Pharaonenbart zurecht. „Tu's nicht."

Wir waren so eifrig dabei, miteinander zu reden und Schätze zu vergleichen, dass keiner von uns bemerkte, wie Schaiskal sich in Richtung eines Ausgangs verdrückte. Aus den Augenwinkeln sah ich, wie er plötzlich eine gewaltige Statue umkippte. Ich dachte, er sei verrückt geworden. Mit einem ohrenbetäubenden Krach brach die riesige Steinnase vom Gesicht der

Statue ab, als diese auf dem Boden aufschlug. Wir erstarrten, als wir hörten, wie Leute schrien und angelaufen kamen. Wir sahen, dass Schaiskal ein widerliches Lächeln aufsetzte. Dann begriff ich. Aber es war zu spät.

Schaiskal lehnte sich am Torpfosten hinaus und brüllte: „Diebe! Räuber! Hilfe! Sie zerschlagen das Ebenbild des Pharaos! Hilfe! Hilfe!"

In Minutenschnelle waren wir auf frischer Tat ertappt. Starke ägyptische Arbeiter zerrten uns hinaus in das blendende Tageslicht und banden uns mit den Armen über einen Steinblock gestreckt fest.

„Das sind Diebe", sagte Schaiskal. „Tötet sie."

„Moment mal", sagte Sam. „Können wir die Angelegenheit nicht erst besprechen? Wir wollen doch nichts übereilen."

Schaiskal überlegte einen Augenblick. „Du hast Recht." Er wandte sich an den Wächter, der sein riesig langes Schwert über unseren Köpfen hielt. „Wir wollen nichts übereilen. Hack ihnen zuerst einmal die Hände ab. Dann schlag ihnen die Köpfe ab."

5

Wenn Leute in einem Buch gerade sterben sollen, heißt es gewöhnlich, „die Stationen ihres Lebens rollten blitzartig vor ihrem geistigen Auge ab". Das Einzige, was vor meinem geistigen Auge aufblitzte, war, dass meine Mutter schrecklich wütend auf mich sein würde, weil ich meine Schwester im alten Ägypten verloren hatte.

Schaiskal lachte über seinen eigenen schlechten Witz. Sein Wächter hob das Schwert. Und gerade sollten aus uns die drei handlosen Zeitverdreher werden, als jemand einen Schrei ausstieß.

„Schaiskal! Halte das Schwert da ein! Was ist das für ein schreckliches Ritual am Eingang zum Pharaonentempel?"

„Sie sind Räuber, Herr. Wir haben sie erwischt, wie sie gerade dabei waren, Sachen aus dem Schatz zu stehlen und Statuen zu zerschlagen."

„Stellt sie vor mich hin."

Die Wächter banden uns los und zerrten uns vor einen Jungen in einem weißen Gewand. „Verbeugt euch vor dem König", sagte der brutale Kerl mit dem Schwert. Er sah enttäuscht aus, dass er eine Gelegenheit verpasst hatte, ein paar Körperteile abzuhacken.

Sam rückte seine Brille zurecht. „Was für ein König? Ich sehe keinen König." Der Wächter gab Sam mit der flachen Seite seines Schwerts einen Hieb über den Rücken.

„Da vor dir, du Wurm. Jetzt verbeug dich."

„He, leg mal dein Schwert beiseite, du großer Held", sagte Fred. „Wenn du dich mit jemandem anlegen willst, dann komm nur her." Fred streckte die Hände hoch und nahm seine Kampfstellung ein.

Ich beschloss, dass ich meine Hände und meinen Kopf gern an meinem Körper dranbehalten wollte, also sprang ich zwischen die beiden. „Die drei Zeitverdreher, Herr. Zu Ihren Diensten."

Ich verbeugte mich vor dem Jungen in dem Gewand. Er war so ungefähr in unserem Alter. Kurzes schwarzes Haar und ein freundlicher Gesichtsausdruck. „Wir sind drei Magier und haben uns aus unserer Welt hierher verirrt wegen … äh … technischer Schwierigkeiten. Wir haben nie vorgehabt, irgendeinen Schatz zu stehlen. Wir suchen bloß nach einem kleinen Buch, einem kleinen Mädchen und einer Katze."

Der Königsjunge schaute uns drei an und lächelte. „Magier? Wirklich?" Er warf einen prüfenden Blick auf Freds Sportschuhe. „Und das da müssen wohl Zaubersandalen sein."

In diesem Augenblick fiel es mir blitzartig ein. Königsjunge? „Entschuldigt, Herr. Aber ist Ihr Name vielleicht König Tut?"

„Nein. Mein Name ist Thutmosis", sagte der König. „Thutmosis III., um genau zu sein. Eines Tages werde ich der größte von allen Königen sein. Aber kann ich die mal anprobieren? Was kann man mit denen machen?" Also war er doch nicht König Tut, aber er war wie verrückt nach Freds Basketballschuhen.

Fred tauschte seine Schuhe mit dem König gegen dessen Sandalen. „Die hier werden Ihnen die Macht geben, an der Linie entlang zu dribbeln und zum Ring hochzusteigen. Hier, ich zeig's Ihnen mal."

Fred machte schnell einen Basketballring, indem er eine Schlinge aus Schilfrohr in eine Ritze in der Steinmauer steckte, und passte dann einen Granatapfel aus dem Lunchpaket von einem der Arbeiter zu mir rüber. Ich schoss einen schnellen Sprungwurf genau durch den Ring.

„Ja!", sagte Sam im perfekt nachgeahmten Tonfall des Basketballstars Marv Albert.

Eine halbe Sekunde später rannten wir über die Tempelstufen und zeigten dem König, wie man den Ball mit dem Rücken zum Ring hineinwirft, wie man sich ganz um die eigene Achse dreht, und wie man ihn im Gedränge reinschmettert. Thutmosis war ein Naturtalent.

„Der Pharao ist ganz hinten in der Ecke", rief Sam in ein griffbereites Papyruszweig-Mikrophon. „Die Spielzeit ist bis auf drei Sekunden abgelaufen. Er täuscht links an, zieht rechts vorbei, und beim Ertönen

der Schlusssirene pfeffert er den Granatapfel zum Siegpunkt durch den Ring!"

Thutmosis klatschte gegen Freds erhobene flache Hand, und wir setzten uns hin. In dem Moment merkten wir, dass Schaiskal aussah wie total außer Fassung.

„Herr, die drei da sind Diebe. Das Gesetz sagt, dass wir sie mit aller Strenge bestrafen müssen."

„Ach, immer mit der Ruhe, Schaiskal", sagte Thutmosis. „Diese hier sind keine Diebe. Dies sind meine Freunde." Fred, Sam und ich lächelten.

„Jaa. Reg dich ab, du Hitzkopf", sagte Sam. „Wir gehören jetzt zum König."

Schaiskal kriegte wieder seine Schlitzaugen.

„Aber um dem Gesetz Genüge zu tun", sagte Thutmosis, „werden wir sie zum Palast zurück mitnehmen.
Die Pharaonin kann entscheiden, was am besten zu
tun ist. Schließlich ist es ihr Tempel, wo man sie gefunden hat."

Ich war verwirrt. „Aber ich dachte, *du* wärst der Pharao. Ist das hier nicht dein Tempel?"

„Ich bin Pharao und meine Tante Hatschepsut ist
zugleich Pharaonin", sagte Thutmosis. Er zeigte auf
die gewaltige Reihe von Stufen und Säulen, die hinten
im Felsen verschwand. Zum ersten Mal bemerkten
wir, dass Hunderte von Arbeitern überall umher-
schwärmten. Ein paar von ihnen meißelten gerade an
Sphinxfiguren herum, die hintereinander aufgestellt
auf den Tempel zuführten, und gaben ihnen den letzten Schliff. Eine andere Gruppe, die in gerader Linie
stand, zog eine riesige Säule mit Seilen über Holzrol-
len. „Das hier soll Hatschepsuts Tempel werden."

„Damit ist eine Woche Taschengeld futsch, und
eine Woche Katzenklo-Saubermachen kommt noch
dazu", sagte ich.

„Aber ich bin der Sohn von Thutmosis II., und ich regiere, wenn ich erwachsen werde", sagte Thutmosis.
Er blickte in die Runde, und natürlich huldigten ihm
alle, einschließlich Fred, Sam und mir, durch eine
kleine Verbeugung. Er hatte zweifellos etwas König-
liches an sich. „Alle zu den Schiffen", befahl er. „Wir
fahren zum Palast zurück."

Thutmosis führte uns die Klippen hinunter zu einem breiten, langsam dahinfließenden Strom. Eine ganze Schar von Dienern zockelte hinterdrein. Schaiskal bildete die Nachhut und flüsterte zwei von seinen Priestern etwas zu. Ich erkannte sie wieder; es waren dieselben, die die Kiste in Schaiskals geheimem Raum abgesetzt hatten.

„Dem Burschen traue ich nicht", sagte Fred.

„Ach, auf den kannst du dich verlassen", sagte Sam. „Da wir die Einzigen sind, die wissen, dass er sich im Innern des Pharaonentempels seinen eigenen geheimen Raum einrichtet, kannst du dich auf ihn verlassen – er wird alles tun, was er nur kann, um uns loszuwerden."

6

Alle gingen an Bord der drei Schiffe am Kai. Schaiskal kam mit uns auf das königliche Schiff. Es hatte ein großes quadratisches Segel und an jeder Seite zwei lange Ruder zum Steuern. Wir stießen fluss-aufwärts gegen die Strömung ab und führten unsere Miniflotte aus drei Schiffen an. Vögel flogen über uns hinweg. Palmen und Papyrusstauden wogten an den Ufern des breiten Flusses im Wind.

„Mann", sagte Sam. „Der Nil – Strom der Vollkom-menheit."

„Ja", sagte Thutmosis. „Obwohl in diesen Tagen nicht ganz so vollkommen. Alle warten und beten um die Inundation."

„Inun-was?", fragte Fred.

„Inundation", antwortete Sam. „Wenn der Nil alljährlich seine Ufer überschwemmt. Auf diese Weise werden die Felder bewässert und fruchtbar gemacht."

„Wie faskiniiierend, Professor Sam", sagte Fred. „Und können Sie unsereins auch sagen, welche Bewässerungsmethoden während der Trockenzeit angewandt werden?"

„Aber klar", sagte Sam. „Die meisten Bauern benutzen ein System von Kanälen und eine lange Stange mit einem Eimer dran und einem Gegengewicht, *Schaduf* genannt, um …"

Fred gab Sam einen Schlag mit der Mütze. „Ich hab dich doch bloß auf den Arm genommen. Heb dir das für Gesellschaftskunde auf."

Der Kapitän unseres Schiffes setzte das Segel in den Wind und wir nahmen Geschwindigkeit auf. Die Fluten gluckerten seitlich ab und kräuselten sich hinter uns zum Kielwasser zusammen.

„Das ist fantastisch", sagte ich und blickte über den mächtigen Strom, auf dem Schiffe in jeder Größe hinauf und hinunter fuhren. Hier gab es eine Kultur, die schon dreitausend Jahre lang überdauert hatte. Das ließ unsere zweihundert Jahre alte Geschichte der Vereinigten Staaten wie einen Wimpernschlag erscheinen.

„Jaa", sagte Fred und beugte sich vor, um sich unser Kielwasser anzusehen. „Total fantastisch. Wenn ich ein Brett hätte, würde ich auf der Stelle übers Kielwasser hüpfen und auf dem Nil surfen."

„Es ist ein wunderschönes Land", sagte Thutmosis. „Und wenn ich regiere, habe ich vor, Ägypten zum großartigsten Land zu machen, das es je gewesen ist. Wie sieht denn euer Land aus?"

„Na ja, der East River ist ein kleines bisschen anders als der Nil", sagte Sam. „Nicht so viele Palmen. Mehr Wohnblöcke und Autobahnen."

„Wohnblöcke? Autobahnen?", sagte eine wohl bekannte gruselige Stimme. „Was ist das denn?" Schaiskal tauchte plötzlich auf wie ein Gestank in einem dunklen Kino – niemand weiß, woher er kommt.

„Das ist die Art und Weise, wie wir Magier leben", sagte Sam. „Häuser reichen zig Meter hoch in die Luft. Wagen aus Metall fahren zehnmal schneller, als wir im Augenblick segeln."

„Ist das möglich?", fragte Thutmosis.

„Genau das habe ich auch gerade gedacht, Herr", sagte Schaiskal.

Das machte Sam nicht besonders glücklich. „Du glaubst, du bist so ein großer Schais-kerl, also warum …"

„He, was ist das da?", fiel ihm Fred ins Wort.

Thutmosis blickte über die Reling auf eine Ansammlung schemenhafter Gestalten im Wasser. „Nilpferde und Krokodile. Gewöhnlich halten sie sich von den Schiffen fern. Bei dem trockenen Wetter werden sie mutiger auf der Suche nach etwas zu fressen."

„Geschöpfe des Chaos und des Gottes Seth, das ist es, was sie sind", murmelte Schaiskal. „Genau so, wie Seth den Körper von Osiris in Stücke gerissen hat, würden diese Geschöpfe uns zerreißen. Schaut! Eins schwimmt auf uns zu."

Und wirklich, einer der schlanken Krokodilsköpfe schnitt gerade durch das Wasser direkt auf unser Schiff zu. Thutmosis zog ein kleines blaues Nilpferd hervor, das an einem Band um seinen Hals hing. „Haltet eure Amulette hoch. Das wird sie verjagen."

Schaiskal hielt sein grünes Krokodilamulett hoch und grinste uns dann auf seine typische hinterhältige Art an. „Die großen Magier haben keine Amulette?"

„Wir brauchen keine bescheuerten Amulette", sagte Fred und zitierte damit aus einem seiner Lieblingsfilme.

„Jaa", schaltete Sam sich ein. „Wir haben stärkere Magie." Er wühlte in der Tasche seiner Jeans herum, zog eine Büroklammer heraus und hielt sie über die Reling dem heranschwimmenden Krokodil entgegen.

Ich bin mir nicht sicher, was genau als Nächstes passierte. Schaiskal behauptete, es sei ein Unfall gewesen. In dem einen Augenblick noch hielten Thutmosis, Sam und Schaiskal ihre Amulette dem Krokodil entgegen. Im nächsten Augenblick änderte das Schiff

seinen Kurs, Schaiskal fiel gegen Sam, und Sam war
über die Reling und im Nil.

Das Schiff segelte weiter und ließ Sam im Kielwasser
herumplatschend zurück. Das hungrige Krokodil sah
das Geplätscher und änderte seine Richtung und die
Pläne für seine Mahlzeit.

„Wendet das Schiff!", brüllte ich.

Schaiskal rubbelte sein kleines grünes Krokodil.
„Keine Sorge. Mit seinem mächtigen Amulett sollte
dem großen Magier eigentlich nichts passieren."

Wir konnten nichts tun außer mit Entsetzen zusehen,
wie unser Schiff weitersegelte und Sam zurückließ mit
nichts als einer Büroklammer zwischen sich und einem äußerst hungrigen Krokodil.

7

Wir stürmten zum Heck des Schiffes.

„Mann über Bord!", brüllte Sam und plantschte wie wild, um seinen Kopf über Wasser zu halten.

Das Krokodil kam bedrohlich näher. Schaiskal rubbelte sein Amulett und leckte sich die dünnen Lippen.

„Werft ihm ein Seil zu", brüllte Fred.

Wir rannten umher wie die Verrückten und suchten nach etwas, das wir Sam zuwerfen konnten. Aber es gab kein Seil. Die Ruder waren fest angebunden. Das Einzige, was lose an Deck lag, war ein langer hölzerner Sarg. Fred und ich versuchten, ihn hochzuheben und über Bord zu werfen. Wir konnten ihn kaum ein paar Zentimeter anheben.

Sams Kopf wurde immer kleiner, und der Kopf des Krokodils sauste immer näher an ihn heran, während wir davonsegelten. Ein Handelsschiff, das plump und schwer im Wasser lag, fuhr in Gegenrichtung an uns vorüber. Ich dachte daran, mich über das Wasser hinüber auf dieses Schiff zu schwingen und auf ihm mitzufahren, zurück zu Sam. Aber Fred hatte eine bessere Idee.

Gerade als das Schiff an uns vorbeifuhr, stieß Fred mit dem Fuß den Deckel vom Sarg, hielt ihn sich vor die

Brust, nahm Anlauf und hechtete über Bord. Er hüpfte auf der Wasseroberfläche wie ein perfekt geworfener flacher Stein. Er paddelte mit ein paar schnellen Schlägen und stellte sich dann aufrecht, als das wogende Kielwasser vom Handelsschiff den Sargdeckel voranschob.

„Halt durch, Sam. Ich surfe auf dem Nil", brüllte Fred. Ich stieß ein Hurrageschrei aus.

Das Krokodil kam näher und näher. Sam schwamm auf dem Rücken und strampelte mit den Füßen, so schnell er konnte. Fred sauste auf dem Kielwasser heran. Ein hässliches grünes Maul voller Zähne reckte sich aus dem Wasser. Sam strampelte weg. Fred stieß sein Sargsurfbrett voran.

Genau diesen Moment wählte unser Kapitän, um unser Schiff zu wenden. Der plötzliche Schwenk riss Thutmosis und mich von den Füßen. Als wir endlich wieder aufrecht standen, war der glatt in zwei Teile zerbissene Sargdeckel das Einzige, was ich im Wasser sehen konnte.

Mir war heiß und kalt zugleich und dazu noch schwindelig.

Dann hörte ich eine vertraute Stimme. „Ahoi, Kameraden, und hipp, hipp, hurra!" Da stand Fred, einen Arm um einen triefnassen Sam gelegt. Sie waren von dem Arbeiterschiff aufgefischt worden, das hinter uns fuhr, und standen jetzt sicher an Deck. Wir beobachteten, wie der Kopf des Krokodils (mit so etwas wie einem zusätzlichen Höcker) auf das Ufer zuschwamm, um sich in Sicherheit zu bringen.

Der Kapitän steuerte unser Schiff längsseits und nahm Sam und Fred auf.

„Fantastische sportliche und magische Leistung", sagte Thutmosis. „Ihr müsst mir zeigen, wie man das macht."

„Na klar, Eure Hoheit", sagte Sam und warf Schaiskal seine eigene Variante eines bösen Blicks zu. „Aber diesmal werden wir Schaiskal als Krokodilsköder benutzen."

Schaiskal murmelte etwas von einer Schändung der heiligen Pharaonenruhestätte und entschuldigte sich mit den Worten: „Ich muss die Himmelszeichen zu Rate ziehen." Dann eilte er davon und machte sich für den Rest der Schiffsfahrt dünne.

„Ich hab gar nicht gewusst, dass du surfen kannst", sagte ich zu Fred.

„Ich auch nicht", sagte Fred. „Aber ich dachte mir, es könnte nicht so viel anders sein als mit einem Skateboard oder Snowboard. Ungefähr so eine Art Waterboard fahren."

„Danke, Fred", sagte Sam. „Das Krokodil da hatte keinen Schimmer, womit es eins über den Kopf gezogen bekam."

„Das war doch gar nichts", sagte Fred und nahm Sam in den Schwitzkasten. „Außerdem, wenn es nur zwei von uns gäbe, würden wir als *die drei Zeitverdreher* nicht so besonders gut dastehen."

Als jeder erst einmal wieder trocken geworden war, genossen wir es einfach, auf dem Nil zu fahren. Die Sonne schien strahlend an einem dunkelblauen wolkenlosen Himmel. Der warme Wind schob uns flussaufwärts. Stolz wies Thutmosis uns auf alles hin, was am Ufer entlang von seinen Ahnen gebaut worden war.

Mit einer Hand über den Augen suchte Fred den Horizont ab. „Also, wo sind denn die großen Pyramiden, die Sphinx und all das?"

Thutmosis lachte und zeigte flussabwärts zurück. „Ungefähr eine Wochenreise in die Richtung da."

Sam schaute prüfend auf die sinkende Sonne rechts von uns und auf die Flussströmung, die uns entgegenkam. „Natürlich. Wir segeln mit dem Wind und gegen die Strömung. Das Nildelta und das Mittelmeer sind da oben im Norden. Wir halten südlich auf die alte Hauptstadt zu, das heutige Luxor."

Fred warf Sam einen schiefen Blick zu. „Natürlich."

Wir legten in Luxor an, als die Sonne gerade unterging. Als wir uns im Unterricht mit Ägypten befasst hatten, war es uns vorgekommen wie so ein staubiger, trockener Ort, an dem es ein paar Esel und Pyramiden und Leute gab, die seitlich herumliefen, gerade so, wie sie auf jenen Bildern dargestellt werden. Aber der glühend rote Sonnenuntergang beleuchtete eine ganz andere Szene.

Im ganzen Hafen wimmelte es von Burschen, die Befehle brüllten, Seile warfen und Hunderte von Schiffen festbanden, die gerade ankamen. Eine Million Geschäfte drängten sich aneinander die Straßen hinauf und hinunter, und eine Million Geschäftsinhaber schrien, was sie zu verkaufen hatten. Überall liefen Leute herum und ließen die Straßen so aussehen wie die von New York zur Weihnachtszeit, bloß ohne den Schnee.

Am Dock wurden wir von einer Armee von königlichen Dienern empfangen. Ich bin mir nicht sicher, was genau wir erwarteten, aber nachdem wir uns mit Thutmosis zusammengetan und Basketball mit ihm gespielt hatten, hatten wir uns irgendwie daran gewöhnt, ihn einfach für einen ganz normalen Jungen zu halten. Die Art und Weise, wie sich alle um ihn bemühten, machte uns bewusst, dass er ganz und gar nicht einfach ein normaler Junge war.

Diener legten für Thutmosis weiche Matten aus, damit er darauf entlanggehen konnte, schützten ihn mit einem riesigen Baldachin vor der untergehenden Sonne und hoben ihn, als er auf seinem Thron saß, in einen goldenen, mit Edelsteinen besetzten Wagen hinein.

Jetzt weiß ich, was es heißt, wenn man sagt: „Er wurde königlich behandelt."

„Er ist wie Michael Jordan, Elvis und der Präsident, nur alle drei in einer Person", sagte Fred.

„Er ist noch größer als das", sagte Sam. „Wenn du ein Pharao bist, dann bist du ein Gott auf Erden."

Als die neuen besten Freunde des Gottes wurden wir selbst ziemlich nett behandelt. Wir bekamen unsere eigene Wagenfahrt erster Klasse zum Palast von Thutmosis, wo wir an Diener weitergereicht wurden, die uns für das Bankett des Pharaos fertig machen sollten. Beim Waschen und Massieren und auch, als uns Gewänder über unsere normale Kleidung gezogen wurden, waren wir ziemlich gelassen. Aber dann fingen unsere Diener an mit Make-up, Parfüm und Schmuck.

„Moment mal, wartet mal, he … mal … langsam", sagte Fred. „Ich hab nichts gegen ein bisschen Kölnisch Wasser, aber Lidschatten werde ich mir keinen anmalen. Und für die Halskette da bin ich einfach nicht der Typ."

„Bei einem Gesicht wie deinem könnte ein bisschen Make-up gar nicht schaden", sagte Sam. „Und außerdem, hast du noch nie das Sprichwort gehört: ‚Wenn du in Rom bist, dann benimm dich wie die Römer'?"

„Jeder wird so was hier tragen – Männer und Frauen", fügte ich hinzu.

„Zum Ersten, wir sind nicht in Rom", sagte Fred. „Und zum Zweiten, habt ihr noch nie das Sprichwort gehört: ‚Wenn alle anderen von der Brücke springen, springst du dann nach?'?"

Wir überredeten Fred schließlich zu einem Armreifen und einem bisschen schwarzen Zeug um die Augen herum. Sam und ich schnürten uns die Sportschuhe

zu. Fred setzte sich seine Blaue-Eichelhäher-Mütze auf, und wir folgten unserem Führer in den Bankettsaal.

Da waren schon Hunderte von Leuten und aßen und tranken und saßen auf Bänken herum und redeten. Männer und Frauen waren in schicke Faltengewänder gekleidet, mit doppelt so viel Schmuck und Make-up wie wir. Einige der Frauen trugen sogar duftende Kegel aus einem wachsartigen Zeug auf dem Kopf. Niemand beachtete uns besonders. Ich wollte Thutmosis finden und anfangen, mir einen Plan auszudenken, wie wir Anna und *Das Buch* finden könnten, aber Fred hatte, wie gewöhnlich, andere Sachen im Kopf.

„Essen! Seht euch mal das Essen an!" Der Tisch in der Mitte des Saals war über und über beladen mit gebratenem Fleisch, Fisch, Brot, Früchten und Blumen. Wir gingen hinter Fred her, als er sich durch die Menge einen Weg zum Tisch mit dem Essen bahnte. Er schnappte sich ein Bein von einem gebratenen Vogel.

„Hmmm … Ente. Oder vielleicht Gans." Er langte noch mal zu. „Brot. Mampf … ein bisschen zäh." Fred hob einen grünen Becher in die Höhe. „Eine Kleinigkeit zum Runterspülen – aaah! Wein."

„Fred", flüsterte ich und zog an seinem Gewand. „Mach mal langsam. Wir sollten versuchen, uns wie ganz bedeutende Gäste zu benehmen, damit wir nicht noch mehr in Schwierigkeiten geraten."

Dann häuften wir ruhig und mit sehr bedeutender Miene gebratenes Geflügel, Feigen, Weintrauben, Gurken und Brot auf unsere Teller. Wir aßen das auf, kehrten zurück und holten uns Ochsenfleisch, noch mehr Früchte, Fisch, Nüsse und Honig.

Mit einem Stückchen Brot wischte Sam auf seinem Teller das letzte bisschen Honig auf und lehnte sich mit einem Seufzer satt und zufrieden zurück. „Ich glaube, daran könnte ich mich gewöhnen."

Fred ging noch einmal hin und holte sich eine weitere Portion Brot und Ochsenfleisch. „Das war genau das, was ich gebraucht habe. Das ganze Basketballern und Surfen kann einen schon hungrig machen." Fred verdrückte das letzte Stückchen von seinem maßgefertigten Ochsenfleisch-Burger und wischte sich den Mund am Ärmel seines Gewands ab. „Jetzt lasst uns mal zur Sache kommen und herauskriegen, wie wir von hier wegkommen."

Ich blickte mich um in dem Saal voller Leute, die immer noch aßen, tranken und redeten. „Wir sind meilenweit weg von Hatschepsuts Tempel", sagte ich. „Ich weiß nicht, wie wir jemals dahin zurückkehren sollen, um Anna und *Das Buch* zu finden."

„Kein Problem", sagte Fred. „Wir sind Freunde vom Pharao. Er kann uns alles besorgen, was wir wollen."

„Ich weiß nicht", sagte Sam, wie immer pessimistisch. „Ihr wisst doch, wie sich unsere Abenteuer gewöhnlich entwickeln. Ich kann immer noch nicht glauben, dass wir im alten Ägypten sind und man uns nicht in einer Pyramide gefangen oder eingewickelt hat wie Mumien und dabei unsere lebenswichtigen Organe in Krüge gesteckt und unsere Gehirne mit einem Haken aus der Nase gezogen hat."

„Danke, Sam, für diese angenehme Vorstellung", sagte ich und ließ meine Augen durch den Saal wandern. Neben einer Säule entdeckte ich Schaiskal. Er war mit seiner ganzen Bande von glatzköpfigen Priestern zusammen. „Ich habe so ein Gefühl, dass wir der größten Gefahr im alten Ägypten schon begegnet sind, und wahrscheinlich werden wir *ihm* wieder begegnen."

Ich versuchte immer noch, mir einen anderen guten Zaubertrick einfallen zu lassen, den ich notfalls benutzen konnte, um Schaiskal hereinzulegen, als ein Trompetengeschmetter den Saal still werden ließ. Ein ganzes Orchester von Musikern, die wir noch gar nicht gesehen hatten, stimmte eine Melodie an; sie klang wie eine offizielle Hymne. Alle standen auf. Ein Vorhang am anderen Ende des Saals wurde zurückgeschlagen und Thutmosis und eine sehr bedeutend aussehende Frau traten hervor. Sie trug eine Ehrfurcht gebietende Kobrakrone.

„Hatschepsut und Thutmosis, lang mögen sie leben!", donnerte eine Stimme. „Heil ihnen!"

Jeder verbeugte sich. Thutmosis und Hatschepsut nahmen ihre Plätze am Ende eines langen Tisches ein und das Orchester stimmte eine andere Melodie an.

Hinter dem Vorhang tanzten in einer Reihe Mädchen hervor, die mit Zimbeln und Klappern klimperten. Mir fiel die Kinnlade herunter.

Eins von den Mädchen sah anders aus als die anderen. Sie war genauso gekleidet und geschminkt und hatte dieselben Instrumente, aber sie war viel bleicher. Ich starrte sie an und rieb mir die Augen. Sie sah aus wie Anna.

Ich blickte wieder hin. Sie sah mich an, winkte dann und setzte ein wohl bekanntes dämliches Kleine-Schwester-Lächeln auf.

Anna!“

„ Das Mädchen tanzte zu uns herüber.

„Hallo, Joe. Ist das alles hier nicht großartig?“

„Aber wer … was … wann … wie bist du hierher gekommen?“

„Ach, ich habe die nette Dame getroffen mit der Krone, die wie ein Stuhl aussieht, genau so wie auf dem Bild, das ich Sam gezeigt habe“, sagte Anna.

„Aber das ist Isis“, sagte Sam.

Anna schlug ihre kleinen Fingerzimbeln aneinander.

„Isis. Jaa, so hieß sie. Sie hat gesagt, ich würde euch Jungs hier treffen und ihr würdet unsere Hilfe brauchen. Also sind wir auf ihrem Schiff hierher gesegelt.“

„Aber Isis ist eine Göttin“, sagte Fred. „Es hat sie gar nicht wirklich gegeben.“

„Das ist aber gar nicht nett, so etwas von jemandem zu behaupten“, sagte Anna. „Und dabei gibt es sie ganz wirklich. Wenn nicht – wie bin ich denn dann hierher gekommen?“

„Das alles hier wird von Augenblick zu Augenblick merkwürdiger“, sagte Sam. „Aber bevor noch die Sache zu merkwürdig wird, hast du vielleicht jenes *Buch*, in dem, wie du gesagt hast, das Bild von einer Frau mit zwei Pharaonenkronen war?"

Anna presste nachdenklich ihre Lippen zusammen. „Hmmm. Nein. Das ist komisch. Weil, gleich nachdem ich euch das Bild da gezeigt hatte, alles im Kreis herumgewirbelt ist, und dann saßen Cleo und ich auf einmal in Isis' Haus. Ich erinnere mich nicht daran, was mit dem Buch geschah."

„O nein!", stöhnte Sam.

„War das ein Buch aus der Bibliothek?", fragte Anna.

„So was Ähnliches", sagte ich. „Wir müssen es finden, bevor wir nach Hause gehen."

„Also, dann sollten wir einfach mal Isis fragen", sagte Anna. „Ich bin mir sicher, dass sie helfen würde. Sie hat gesagt …"

Aber bevor wir noch herausfinden konnten, was Isis gesagt hatte, stand Thutmosis am Kopfende des Tisches auf. Jeder war augenblicklich still.

„Große Pharaonin, verehrte Gäste, heute Abend preisen wir uns glücklich, Besucher aus einem Land weit, weit weg bei uns zu haben." Thutmosis winkte uns heran, damit wir uns neben ihn stellten. Er zeigte der Reihe nach auf jeden von uns. „Sam, Joe und Fred kommen aus einem Land, das Amerika heißt. Ihre Leute dort wohnen in Häusern, die hundert Meter in die Höhe ragen, und auf dem Boden fahren sie schneller als irgendein Schiff auf dem Nil."

Die Leute auf der Party riefen „Ooooh!" und „Aaah!"

Hatschepsut musterte uns mit jenem Blick, den einem jemands Mutter zuwirft, wenn man ihr vorgestellt wird und sie gerade entscheidet, ob man ein annehmbarer Freund für ihr Kind ist oder einer von diesen schlechten Freunden, die ihr Kind in Schwierigkeiten bringen werden. Ich konnte nicht erkennen, ob sie uns zustimmend oder missbilligend ansah.

Thutmosis zog sich einen Sportschuh aus und hielt ihn hoch. „Und sie haben mir gezeigt, wie man mit diesen Zaubersandalen an den Ring herandribbelt, sich einmal ganz um die eigene Achse dreht und den Ball hineinschmettert." Noch mehr Ooohs und Aaahs stiegen aus der Menge auf.

Jetzt erhielten wir von Hatschepsut eindeutig den „Schlechte-Freunde"-Blick. Ich musste das Wort ergreifen und versuchen, etwas zu sagen, was uns in einem guten Licht erscheinen ließ. „Wir gebrauchen unsere Zaubersandalen auch dazu … äh …, um täglich unsere Zimmer sauber zu machen … in Windeseile."

Gewöhnlich genügt es schon, das Saubermachen deines Zimmers auch nur zu erwähnen, um fast jeden Erwachsenen zu beeindrucken. Aber die eigenartigen Blicke, mit denen Fred, Sam und Hatschepsut mich ansahen, machten mir klar, dass diese kleine Neuigkeit nicht viel gebracht hatte, uns in einem guten Licht erscheinen zu lassen. Eine bekannte heimtückische Stimme meldete sich von hinten aus dem Saal und sehr schnell verschlimmerte sich die Lage noch.

„Die Zaubersandalen sind sehr ungewöhnlich", sagte Schaiskal, „und wir vernehmen mit großem Interesse, dass Jungen in Amerika ihr Zimmer jeden Tag sauber machen. Aber die Priester des Tempels und ich haben bloß eine Frage an die drei Magier."

„Ihr wollt wissen, wie man sich den Ball schnappt und einen schnellen Konter startet?", fragte Fred.

„Ihr Jungs braucht Hilfe bei euren Drei-Punkte-Würfen?", fragte Sam.

Hatschepsut erhob ihre königliche Hand und gebot Ruhe. „Was ist es, was meine Priester zu wissen wünschen?"

Schaiskal warf uns sein gemeines kleines Lächeln zu, rieb sich seinen Glatzkopf und ließ dann die Bombe platzen.

„Was haben die drei Magier aus Amerika in den Schatzräumen der Pharaonin gemacht?"

Falls du jemals das Gesicht deiner Mutter gesehen hast in dem Augenblick, wo sie etwas herausfindet, was sie deiner Meinung nach wirklich nicht herauszufinden brauchte, dann weißt du genau, wie Hatschepsuts Gesicht jetzt aussah. „*Was* höre ich da?" Sie wandte sich an Thutmosis, der plötzlich weniger wie ein Gott aussah und mehr wie einer von uns. „Du hast mir nicht gesagt, dass man deine neuen Freunde in meinem Tempel gefunden hat."

„Na ja, ich … hmmm … hab nicht gedacht … äh", stotterte Thutmosis.

Ein paar von den Leuten in der Menge hatten begonnen, miteinander zu flüstern und die Köpfe zu schütteln.

„Man hat sie gefunden, wie sie gerade Eure Schätze anlegten und damit herumstolzierten, Herrin", fügte Schaiskal hinzu, offensichtlich mit großem Vergnügen.

Das Flüstern der Leute wurde lauter.

„Und der da", Schaiskal zeigte auf Fred, „hat einen königlichen Sarg mit den Füßen getreten und den Sargdeckel den Bestien des Nils vorgeworfen."

Wie aus einem Mund stöhnte die Menge entsetzt auf. Jemand rief: „Nein!"

„Die Zeichen, die wir aus den Sternen lasen, sagen uns, die Überschwemmung wird vom Chaos mitten unter uns verhindert. Die Zeichen, die wir gelesen haben, sagen: Das Chaos sind diese drei hier."

Ich sah Hatschepsut an. Zwei Gedanken schossen mir durch den Kopf. Der erste war: Ist es nicht erstaunlich, wie wenig sich einige Dinge verändern? Jemand, der vor 3500 Jahren sehr wütend ist, sieht gerade so aus wie jemand, der heutzutage sehr wütend ist. Der zweite Gedanke war: Jetzt kriegen wir gleich die Hände abgehackt.

$\diamond$

„Also, Moment mal", sagte Fred. „Ich musste den Deckel da benutzen, um Sam zu retten."

„Also gibst du es zu", sagte Schaiskal. „Du hast den königlichen Sargdeckel in den Nil geworfen."

„Na ja", sagte Fred. „Aber wir hatten nicht vor, die Sachen aus dem Schatz da zu stehlen, die wir gerade trugen."

„Also *habt* ihr die Sachen aus dem Pharaonenschatz getragen", sagte Schaiskal. „Für mich klingt das nach Raub."

Als dieses magische Wort fiel, kam Sam in Fahrt. „Wir sind keine Räuber."

„Was seid ihr dann?", fragte Schaiskal.

„Also …"

„Was?"

Die Menge blickte von Sam zu Schaiskal zu Sam zu Schaiskal, als würde sie einem Tennisspiel zusehen.

„Wir sind Magier, Schais-stück."

„Günstlinge des Seth", sagte Schaiskal.

„Heiße Erdnuss", sagte Sam.

„Tempeldiebe!"

„Aufgeblasener Knallkopp!"

„Schluss damit", sagte Hatschepsut und stand auf. Sie sprach mit ruhiger, aber gebieterischer Stimme. „Mein Hoher Priester Schaiskal sagt, ihr seid die Chaosbringer und die Ursache unserer Dürre. Mein Neffe Thutmosis sagt, ihr seid Magier. Wie entscheide ich, welches davon die Wahrheit ist?"

Wenn du irgendeins von den anderen Abenteuern der drei Zeitverdreher kennst, dann weißt du, dies ist nicht das erste Mal, dass wir in so einer Klemme saßen. Ich sah es kommen, und ausnahmsweise einmal war ich darauf vorbereitet.

„Eure Pharaonenhoheit ... Herrin ... gnädige Frau", sagte ich zu Hatschepsut, „wenn Sie erlauben, demonstriere ich ein kleines Stück unserer Magie, um die Wahrheit zu beweisen. Auf mein Geheiß hin wird dieses junge Mädchen hier" – ich legte meine Hand auf Annas Kopf – „seine Stärke mit einem beliebigen Mann Ihrer Wahl messen. Wenn sie stärker ist, sagen wir die Wahrheit. Wenn Ihr Mann stärker ist, dann sagt Schaiskal die Wahrheit."

Sam wurde kreidebleich.

Hatschepsut dachte eine Sekunde darüber nach, dann nickte sie mit ihrem kobragekrönten Kopf: „Das erscheint mir fair. Thutmosis, Schaiskal, einverstanden?"

„Klar", sagte Thutmosis. „Vielleicht lässt Joe die Kleine den Allez-Hopp-Hoch-Weit-Wurf machen."

Schaiskal sah sich nicht so sicher aus, doch er ging mir

direkt in die Falle und wählte seinen größten Priester. „Also gut. Aber du musst Pepy dazu nehmen."

Pepy war fast zwei Meter groß, mit einen Meter breiten Schultern. Ich selbst hätte kein besseres Opfer wählen können.

„Perfekt", sagte ich und schritt zur Tat, noch bevor jemand es sich anders überlegen konnte. Ich stellte Pepy auf der einen Seite und Anna auf der anderen neben mir auf und legte jedem eine Hand auf die Schulter. „Abrakadabra, zisch-bum-bah. Bum schaka laka laka, rah-rah-rah", sagte ich so magisch, wie ich konnte. „Ich habe gerade diesem Mann die Stärke genommen und sie in dieses Mädchen hineingelegt."

Ich stellte einen kleinen Holzschemel direkt an eine Wand und ließ Anna sich ungefähr drei Fußlängen von der Wand entfernt hinstellen. „Behalte deine Füße auf dem Boden. Beuge dich in der Taille vor. Und lehne dich mit dem Scheitel an die Wand." Anna beugte sich vor. „Jetzt leg deine Hände unter den Schemel und heb ihn hoch, während du dich aufrichtest."

Sam schloss die Augen und versteckte seine Hände in den Achselhöhlen. „Ich kann gar nicht hinsehen."

Anna legte die Hände unter den Schemel, richtete sich auf und hob ihn mit einer einzigen leichten Bewegung hoch. Sie lächelte.

„Jetzt muss Pepy dasselbe machen", sagte ich.

Schaiskal grinste höhnisch. „Ein Kinderspiel."

Pepy stellte sich drei Fußlängen entfernt hin, lehnte seinen Kopf an die Wand und … nichts. Er konnte sich nicht von der Stelle rühren.

„Jetzt heb ihn hoch", sagte Schaiskal. „Richte dich auf."

„Ich versuch's ja, Eure Exzellenz. Aber ich kann nicht. Irgendetwas hält mich fest." Pepy probierte es noch einmal. Nichts.

„Tritt beiseite, du Insekt." Schaiskal zog Pepy eins mit der Peitsche über. „Ein kleines Mädchen hebt den Schemel da hoch. Erzähl mir nicht, dass du das nicht kannst."

Schaiskal beugte sich über den Schemel, lehnte seinen Glatzkopf an die Wand, packte den Schemel und … nichts.

„Uaaah."

Nichts.

„Aaahg."

Nichts.

„Iiiii."

Schaiskal blieb wie angeklebt an der Wand. Der Schemel blieb wie angeklebt auf dem Boden.

Hatschepsut blickte erstaunt. „Diese kleine Tänzerin hebt genau den Schemel hoch, den der stärkste Mann nicht von der Stelle bewegen kann? Hoher Priester, das ist Magie. Die Götter haben unsere Frage beantwortet."

Schaiskal richtete sich auf. Vor Anstrengung und Verlegenheit war sein ganzer Kopf gefährlich rot angelaufen. „Ja, Euer Gnaden." Er verbeugte sich rasch vor Hatschepsut und stürmte dann aus dem Saal. Eine Schlange aufgeregt aussehender Priester folgte ihm nach.

„Ja!", sagte Sam. „Er wirft, er macht den Punkt! Joe der Fabelhafte."

Das Orchester begann zu spielen. Die Gäste drängten sich um uns und stellten uns eine Million Fragen. Sam war glücklich, dass er jedem über Autos, Düsenjäger, Fernsehen, Telefon und Musikvideos erzählen konnte. Fred protzte mit seiner Blaue-Eichelhäher-Mütze und demonstrierte, wie man sich auf einem Skateboard bewegt, wobei er ein hölzernes Serviertablett benutzte. Ich nahm Anna schnell einmal in die Arme.

„So macht man's, Schwesterherz. Du warst großartig."

„Danke", sagte Anna. „Aber ich hab doch gar nichts gemacht."

„Ich weiß", sagte ich. „Das funktioniert wegen deinem Schwerpunkt. Mädchen können das. Männer nicht. Aber dennoch hast du's prima gemacht." Aus den Augenwinkeln sah ich, wie Hatschepsut uns beobachtete. Ihr Gesicht war ein einziges Lächeln.

Wir hatten Anna gefunden. Der Pharao und die Pharaonin waren auf unserer Seite. Wir waren die Attraktion einer altägyptischen Party. Zum ersten Mal in meinem Zeitverdreherleben beschloss ich, mich einfach zu entspannen und meinen Spaß zu haben. Sorgen darüber, wie wir *Das Buch* finden würden, könnten wir uns später machen. Was konnte überhaupt noch schief gehen?

„Ich geh mal und hole Cleo. Ich bin gleich wieder da", sagte Anna, und sie hüpfte durch den Eingang hinaus, durch den die Tänzerinnen hereingekommen waren.

Wir lachten zusammen mit den Gästen und erzählten ihnen von New York.

Zehn Minuten später war Anna noch nicht zurück.

Einige der Partygäste verabschiedeten sich.

Es war zwanzig Minuten später und Anna war immer noch nicht zurück.

Ich blickte prüfend hinter den Eingang und die nächsten Gänge entlang.

Dreißig Minuten waren vergangen und Anna war immer noch nicht zurück.

Ich hatte so ein mieses Gefühl, dass das, was überhaupt noch schief gehen konnte, gerade schon endgültig schief gegangen war.

10

Als Hatschepsut herausfand, dass Anna meine Schwester war und jetzt vermisst wurde, befahl sie allen ihren Leuten, sich in Bewegung zu setzen. Dienern, Tänzerinnen, Musikern und Gästen wurde je ein Teil des Palastes zugewiesen, den sie durchsuchen sollten.

Wir suchten in Höfen, Teichen, Pferdeställen, Gärten und Küchen. Wir suchten in Schlafgemächern, Badezimmern, Unterkünften von Dienern und in Fluren, Vorratskrügen und Kuhställen, spähten in Brunnenschächte hinein und sogar in die Öfen. Aber es gab keine Spur von Anna.

Fred, Sam und ich setzten uns zu Hatschepsut und Thutmosis an den jetzt leeren Banketttisch.

„Wir haben überall nachgesehen", sagte Thutmosis. „Benutzt eure Magie, um sie zu finden."

„Wenn ich das könnte", sagte ich.

Hatschepsut nahm ihre Krone ab und rieb sich die Schläfen. „Es gibt nur einen Ort im Palast, wo wir nicht gesucht haben. Vielleicht hat sich Anna in den Räumen des Schönen Hauses verirrt."

„Das Schöne Haus", sagte ich. „Was ist das?"

„Das sind die geheimen Räume unter dem Palast",

sagte Hatschepsut. „Da, wo die Priester die königlichen Körper für das Leben nach dem Tod vorbereiten."

„O nein", sagte Sam. „Mumien."

„Sie meinen, die Organe herausnehmen, Natron hineinstopfen, den Mund öffnen?", fragte Fred.

Hatschepsut blickte Fred überrascht an. „Amerikanische Magier kennen unsere Rituale?"

„Na ja, ich habe einen Schaukasten darüber gemacht", sagte Fred. „Auf die Weise hab ich eine Menge gelernt."

Ich dachte darüber nach, was Hatschepsut gesagt hatte. Dann machte alles plötzlich Sinn. „Die Leute, die diese Räume benutzen, sind die Priester?"

Hatschepsut nickte.

„Ich rieche eine Ratte", sagte Fred.

„Ich rieche einen kleinen glatzköpfigen Kerl mit einer Peitsche", sagte ich. „Können Sie uns das Schöne Haus zeigen?"

„Nur Priester oder Mitglieder der königlichen Familie dürfen diese Räume sehen", sagte Hatschepsut.

Sam sah erleichtert aus. Ich fühlte mich schrecklich bei dem Gedanken, dass Anna wahrscheinlich von Schaiskal als Geisel festgehalten wurde.

„… aber ihr müsst wohl Priester sein, um so viel über unsere Rituale zu wissen", sagte Hatschepsut. „Gehn wir."

Hatschepsut dankte allen Gästen und Dienern dafür, dass sie uns geholfen hatten, Anna zu suchen. Dann schickte sie alle fort, rüstete jeden von uns mit einer Fackel aus und führte uns hinab in die dunklen, kühlen Gänge unter dem Palast. An einer Gabelung in dem langen, gewölbten Tunnelgang hielten wir an. Hatschepsut gab uns Anweisungen.

„In den Räumen auf der linken Seite wurde mein dahingegangener Mann Thutmosis II. vorbereitet, in der Welt der Götter wieder zu erstehen. Diese Räume kenne ich und werde da suchen gehen. Die auf der rechten Seite sind schon eine Ewigkeit nicht mehr benutzt worden. Ihr vier bleibt beisammen und seht da nach."

Sam hob die Hand. „Äh, meinen Sie nicht, wir sollten lieber alle zusammenbleiben? Weil, wissen Sie, das ist genau, was immer in diesen Horrorfilmen passiert. Die Gruppe teilt sich auf und dann werden die Leute allmählich einer nach dem anderen abgemurkst."

Hatschepsut sah Sam merkwürdig an. „Horrorfilme? Abgemurkst? Wir wollen einfach Anna finden und uns dann wieder hier treffen." Sie verschwand in der Dunkelheit des Tunnels und Thutmosis, Sam, Fred und ich standen da und blickten nervös um uns.

„Dieses Zeugs über den Fluch der Mumie wurde doch bloß für Filme erfunden", sagte Fred zu niemandem besonders. „In Wirklichkeit wandern Mumien gar nicht umher und erwürgen Leute."

„Richtig", sagte ich mit fester Stimme.

„Es gibt geflügelte Geister, die *Ba* von denen hier unten, die vielleicht nicht glücklich wären, wenn wir …", flüsterte Thutmosis. Er hob seine Fackel hoch, um in die Schatten hineinzusehen.

„Richtig", sagte ich mit weniger fester Stimme.

Sam stöhnte. „Ich hab euch doch gesagt, dass das passieren würde."

„Nun hört schon auf", sagte Fred und zog sich seine Mütze tief in die Stirn. „Ihr macht mir ja eine Gänsehaut. Hatschepsut hat gesagt, dass wir auf dieser Seite suchen sollen. Also los, suchen wir." Fred ging den Tunnel entlang, und wir hatten keine andere Wahl, als ihm zu folgen.

Anfangs gingen wir so dicht beieinander wie nur menschenmöglich. Aber als sich unsere Augen an das flackernde Fackellicht gewöhnten, begannen wir, uns die Figuren und Hieroglyphen an den Wänden genauer anzuschauen.

„He, seht mal", sagte Fred. „Da ist dieser Typ mit dem Hundekopf."

„Anubis", sagte Thutmosis. „Der Gott der Mumifizierung."

„Natürlich", sagte Fred. „Der richtige Ort für ihn, hier unten."

Sam hob seine Fackel zur Decke hoch und beleuchtete eine Gestalt, die sich über unsere Köpfe hinweg und auf beiden Seiten bis ganz hinunter erstreckte, mit den Zehen an der einen Wand und den Fingerspitzen

an der anderen. „Nut", sagte Sam. „Die Himmels-göttin."

Wir gingen unter der bogenförmigen Göttin hindurch und suchten in jeder Nische und Spalte nach irgend-einem Zeichen von Anna. Wir müssen wohl in zwan-zig verschiedenen Räumen gesucht haben. Aber Hatschepsut hatte Recht. Sie waren schon eine Ewig-keit lang nicht mehr benutzt worden. In ihnen war nichts.

„Diese Fackeln hier sind schon fast herunterge-brannt", sagte Fred. „Wir gehen besser zurück und treffen uns mit Hatschepsut."

Ich wollte noch nicht umkehren, aber wir hatten über-all gesucht. Wir machten uns auf den Rückweg und bemühten uns, noch irgendeine Stelle ausfindig zu machen, die wir vielleicht übersehen hatten.

Ich entdeckte, wie eine ganze Prozession von Göttern an einer Wand entlangging, die wir noch nicht gese-hen hatten, und versuchte mich zu erinnern, wer sie alle waren. Die meisten Antworten lieferte Thutmosis.

„Der Vogelkopfmann mit den beiden Kronen von Ägypten?"

„Horus, der Gott der Könige", sagte Thutmosis stolz.

„Die Dame mit dem Kuhkopf?", fragte ich.

„Hathor, die Göttin der Liebe und der Schönheit", sagte Thutmosis.

„Und wer ist diese Gestalt, die so abscheulich aus-sieht?", fragte Fred und fuhr dabei mit der Hand über einen Typ mit einem Kopf, der so aussah wie der von einem Ameisenbären mit eckigen Ohren.

„Seth", antwortete Thutmosis. „Der Gott des Chaos, Bruder und Mörder von …" – er zeigte auf eine Gestalt, die einen Krummstab und einen Dreschflegel vor der Brust gekreuzt hielt – „… Osiris."

Als ich den Namen Osiris hörte, musste ich an seine Schwester denken, Isis, die die Teile seines zerstückelten Körpers gefunden hatte, sie zusammensetzte und ihn wieder zum Leben erweckte. „Wo ist Isis? Wenn irgendjemand uns noch helfen könnte, dann sie."

„Hier", sagte Thutmosis. „Gleich neben Osiris."

Sams Fackel zischte und erlosch.

„Der Führer auf unserem Rundgang sagt, dass die Ausstellung gleich schließt. Es wird Zeit, hier herauszukommen, solange die Lichter noch brennen."

Und ich weiß nicht genau warum, aber als ich mich vorbeugte, um einen letzten Blick auf Isis zu werfen, fuhr ich mit den Fingern über das *Anch*-Symbol, das sie in der Hand hielt, und sagte: „Isis." Die kleinen erhabenen Stellen des behauenen Steins fühlten sich warm an. Ich legte meine Hand flach an die Wand. Die ganze Wand war warm.

Ich lehnte mich dagegen und rief nach Fred, Sam und Thutmosis, die schon den Tunnel entlang weitergingen. Aber ich kam nur noch bis: „He, Jungs. Fühlt mal diese Wand hier. Sie ist …" Weil, als ich mich an die Wand lehnte, das ganze Mauerstück wie eine riesige

Steintür zurückschwang und einen versteckten Raum zum Vorschein brachte. Ein Feuer, das in der offenen Herdstelle in der Ecke brannte, beleuchtete alles. Ich sah einen Haufen Leinenbänder, eine Menge Krüge, einen Tisch, auf dem überall Messer und hakenartige Instrumente lagen. Eine kleine Mumie, halb einge-wickelt, lag in einem schlichten Sarkophag. Die Mu-mie bewegte sich. Ich erstarrte. Die Mumie stöhnte, dann richtete sie sich auf.

11

Wenn sich meine Beine nicht in Gummi verwandelt hätten, wäre ich den schnellsten Hundertmetersprint aller Zeiten gelaufen, direkt da raus. Aber glücklicherweise wollten mich meine Füße nirgendwohin tragen. Denn die Mumie stöhnte noch einmal und sagte: „Hallo, Joe. Habe ich lange geschlafen?"

„Anna!" Ich stolperte hinüber zu der kleinen Mumie im Sarkophag. Es war Anna. „Was ist denn passiert? Ist alles in Ordnung mit dir? Wir haben dich überall gesucht."

Fred, Sam und Thutmosis drängten in den geheimen Raum hinein. Anna gähnte noch einmal und streckte sich. Ein paar Leinenbänder fielen zu Boden.

„Toll!", sagte Fred. „Hat man dich in eine Mumie verwandelt?"

„Jaa", sagte Sam. „Man hat ihr mit dem Nasenhaken das Gehirn herausgezogen und jetzt funktioniert sie über Batterie."

„Ich muss irgendwo falsch abgebogen sein, als ich mit Cleo zu der Party zurückging", sagte Anna. „Ich bin ein paar Lichtern nachgegangen zu diesem Raum hier, aber dann hat sich die Tür geschlossen, und ich konnte nicht raus. Ich bin müde gewesen, deshalb habe ich mich mit Cleo in dieses kleine Bett hineingelegt und ein paar von diesen Leinenbändern zum Zudecken benutzt. Aber jetzt bin ich ganz eingewickelt."

Cleo steckte den Kopf aus den Leinenbändern auf Annas Schoß und zog dann eine große Show ab, gähnte, machte einen Buckel und streckte die Vorderpfoten. Thutmosis tätschelte ihren Kopf und kraulte sie unter dem Kinn.

„Isis sei Dank, dass wir dich gefunden haben", sagte Thutmosis. „Hatschepsut hat sich schon Sorgen gemacht."

Meine Fackel flackerte ein bisschen und erlosch dann.

„Huch, oje", sagte Fred. „Uns läuft die Zeit davon." Er drückte seine Fackel auf dem Boden aus und reichte sie dann Thutmosis. „Hier. Du nimmst die letzten beiden Fackeln und gehst Hatschepsut holen. Wenn deine anfängt auszugehen, zünde meine an. Wir binden Anna los und warten hier auf euch."

„Mit deinen magischen Sandalen bin ich zurück, bevor du noch mit den Augen zwinkern kannst", sagte Thutmosis.

Fred zerrte einen Steinblock heran und schob ihn gegen die Geheimtür, damit sie nicht zufallen konnte, und Thutmosis rannte den Gang entlang und ließ uns in dem trüben Lichtkreis zurück, den das Feuer warf. Ich begann, Anna auszuwickeln, und bemerkte dabei etwas Seltsames. „Hast du nicht gesagt, dass du dir diese Bänder selbst angelegt hast?", fragte ich.

„Mir war kalt."

„Aber die hier sind verknotet."

„He", sagte Sam. Er rückte seine Brille zurecht, um sich einen Stapel Papyrus-Schriftrollen an der Feuerstelle genauer anzusehen. „Texte aus dem Buch der Toten. Hier ist die ganze Szene, wie das Herz abgewogen wird: Anubis, der gerade die Waage mit dem Herzen in der einen und der Feder der Wahrheit in der anderen Schale prüft, während der Verschlinger darauf wartet, jedes böse Herz gleich aufzufressen. Das ist genau so wie auf der Schriftrolle in meiner Arbeit."

„Nur eine kleine Berichtigung, Herr Bescheidenes Genie", sagte Fred. „Die Schriftrolle in deiner Arbeit ist genau so wie die hier. Ich glaube, diese hier ist dir ein paar tausend Jahre zuvorgekommen."

„Du weißt schon, was ich meine", sagte Sam.

„Meinst du denn, was du sagst?", fragte Fred. „Oder sagst du, was du meinst?"

„Ich sage, du bist gemein", sagte Sam.

„Könntet ihr beide mal einen kleinen Augenblick aufhören und euch das hier anschauen?", sagte ich. „Seht euch diese Knoten an."

„Na und?", sagte Fred. „Das sind eben Knoten."

„Aber die hier hätte Anna nicht selbst knüpfen können", sagte ich. „Das bedeutet also, dass jemand anders hier drin gewesen ist und dass jemand anders sie verschnürt hat."

Sam prüfte die Knoten und runzelte die Stirn. „So jemand anders wie unser alter Freund Schaiskal. Er will uns alle immer noch loswerden, weil wir über seinen geheimen Raum Bescheid wissen."

Sams Worte ließen mich schon genug frösteln, aber ich spürte einen kalten Luftzug von der Tür her, drehte mich um und sah etwas, was mir noch mehr Schauer über den Rücken jagte. Schaiskal und vier stämmige Priester füllten den Türrahmen aus.

„Gut gesagt, mein kleiner Magier", sagte Schaiskal. „Und wie nett von dir, mich euern ‚alten Freund' zu nennen."

Wir standen erstarrt da wie Statuen. Sogar in dem flackernden Licht des Feuers konnte ich Schaiskals schmieriges Lächeln sehen. Er wandte sich an seine Schlägertruppe. „Wickelt sie ein."

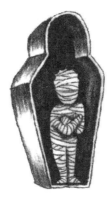

Wir lieferten einen ziemlich tapferen Kampf. Fred landete ein paar hervorragende Karate-Fußtritte. Sam trat ihnen ein paar Mal wütend auf die Zehen. Anna haute einem Typen auf den Kopf. Und ich entwischte fast durch die Tür, aber eins von den Monstern griff mich von hinten an und versetzte mir einen Schlag, dass mir die Luft wegblieb.

In ungefähr fünf Minuten waren wir genau in dem Zustand, von dem Sam immer befürchtet hatte, dass wir in ihn hineingeraten würden – eingewickelt wie Mumien und im Begriff, lebendig begraben zu werden.

Die muskelprotzenden Priester packten uns in vier Sarkophage hinein, die an der Wand lehnten, und verließen dann den Raum. Schaiskal stand da mit einem Sandalenfuß gegen den Steinblock, der die Tür offen hielt. „Ich würde ja zu gern hier bleiben und euch foltern dafür, dass ihr mich vor dem Pharao gedemütigt habt, aber ich muss einfach durch den Tunnel laufen

und Thutmosis und Hatschepsut die entsetzliche Nachricht mitteilen."

„Was für eine entsetzliche Nachricht?", fragte Sam.

„Dass du in Wirklichkeit gar nicht Scheißkerl, sondern Pinkelheini heißt?"

„Nein." Schaiskal lächelte grimmig. „Die entsetzliche Nachricht, dass ihr aus Versehen den Steinblock losgelöst habt, der dieses Tunnelende bis in alle Ewigkeit verschließt."

„Diese lahme Geschichte werden sie nicht glauben", sagte Fred.

„Es wird keine andere Geschichte geben, die sie glauben könnten", sagte Schaiskal. „Weil niemand euch jemals hinter diesem Steinberg finden wird." Dabei zeigte Schaiskal nach oben.

„Wenn sie dein Herz wiegen", sagte Sam, „wird es vor Bosheit schwer genug sein, dass der Verschlinger davon nicht nur zum Frühstück, Mittag- und

Abendessen futtern kann, sondern auch noch eine kleine Mahlzeit vor dem Einschlafen hat."

Schaiskal hielt einen Augenblick inne, als ob er etwas sagen wollte, stieß dann den Steinblock weg und schlug die Tür mit einem lauten Dröhnen zu. Wir hörten, wie ein paar Mal heftig Fels auf Fels schlug. Irgendwo über unseren Köpfen rutschte Stein gegen Stein. Etwas, das größer war und mehr Krach machte als fünfhundert U-Bahnzüge, donnerte über uns. Die ganze Welt schwankte und brach zusammen mit einem letzten *Rrrums*, das uns bis in die Eingeweide erzittern ließ. Dann war es still, viel, viel zu still.

Ein paar Staubwölkchen trieben unter der Tür hindurch. Das Feuer schien langsam zu erlöschen.

„Vermutlich würde Schreien nicht viel helfen", sagte Fred aus seinem Sarkophag heraus.

„Nee", sagte Sam. „Das würde nur unsern Sauerstoff noch schneller aufbrauchen." Das keilförmige Auge, das auf seinen Sarkophag gemalt war, starrte mich an. Ich dachte daran zu versuchen, mich aus den Bandagen irgendwie freizuwinden und die Brennholzknüppel dazu zu benutzen, uns einen Weg nach draußen zu graben, aber ich konnte nicht einmal mit den Fingern wackeln. „Ich weiß, dass die Sache hier nicht gut aussieht", sagte ich und versuchte dabei, positiv zu klingen. „Aber wir werden uns schon was einfallen lassen." Fred kämpfte mit seiner Verpackung. „Uff. Und was, zum Beispiel? Abwechselnd zu atmen?"

Sam stöhnte. „Das wird mir wirklich meine Note in Gesellschaftskunde verderben, wenn ich abkratze und meine Arbeit nicht abliefere. Joe, kennst du denn nicht irgendeinen Houdini-Entfesselungszaubertrick?"

„Wir brauchen mehr als einen Houdini-Entfesselungstrick", sagte ich. „Wenn ich doch bloß hätte herauskriegen können, wie man an dem *Buch* dranbleibt."

Anna rührte sich in ihrem Sarkophag. „Kann denn *Das Buch* uns helfen, hier herauszukommen?"

Ich versuchte zu zwinkern und auf diese Weise die Kopfverpackung zurückzuhalten, die mir über die Augen rutschte. „Uns helfen? Es würde uns hier herausholen, so dass wir in einer Sekunde wieder in meinem Zimmer sitzen."

„Also, Isis hat mir gesagt, wenn wir jemals in Schwierigkeiten kommen und ihre Hilfe brauchen würden, sollten wir sie einfach darum bitten", sagte Anna.

„Sie ist im Delirium", sagte Sam. „Sauerstoffmangel. Redet wieder von ihrer eingebildeten Freundin."

„Wir sind völlig verschnürt, sitzen hinter einer Million Tonnen Steine in der Falle, und alles, was wir tun müssen, ist, eine Göttin, die nicht einmal hier ist, um Hilfe bitten?", fragte Fred.

„Ja", sagte Anna.

„Nie und nimmer", sagten Sam und Fred wie aus einem Munde.

„Wollt ihr wetten?", fragte Anna.

„Klar", sagte Sam. „Was haben wir schon zu verlieren? Unsere Särge? Ich wette mit dir um eine Million Dollar."

„Zwei Millionen", sagte Fred.

„Nein", sagte Anna. „Es muss etwas sein, was ihr bezahlen könnt. Wie zum Beispiel eine Woche Taschengeld und eine Woche Katzenklo-Saubermachen."

„Die Wette gilt", sagte Sam.

„Die Wette gilt", sagte Fred.

„In Ordnung", sagte Anna. „Wir sollten eigentlich mit erhobenen Fingern schwören, aber ich werde euch einfach vertrauen müssen."

Das Feuer wurde noch schwächer. Das Gefühl, unter einem Berg aus Stein gefangen zu sein, begann auf mir zu lasten.

„Isis", sagte Anna, „bitte hilf uns, *Das Buch* zu finden."

Der Feuerschein flackerte. Irgendwo fielen ein paar lose Kieselsteine. Dann Stille.

„Ist das alles?", sagte Sam.

„Äh, Isis", sagte ich, „wenn du dich an die Sache mit dem *Buch* vielleicht so schnell wie möglich machen könntest? Uns läuft so ziemlich die Zeit davon."

Tödliche Stille.

Von irgendwoher kam ein kratzendes Geräusch und plötzlich stand Cleo auf dem Tisch. Sie setzte sich hin, sah Anna an, sah mich an und sprang dann hinunter zu dem Stapel von Papyrus-Schriftrollen, in denen Sam gelesen hatte. Ich konnte Cleo nur gerade so eben aus den Augenwinkeln sehen. Sie scharrte mit den Pfoten oben am Stapel.

Und ich kann es nicht mit Sicherheit sagen, weil das Licht so schlecht und mein Blickwinkel so schräg war, aber irgendetwas fiel entweder herunter und öffnete sich, oder Cleo zog es herab und schlug es selbst auf. So oder so, das Ding, das herunterfiel, war ein gewisses wunderschönes blaues Buch mit verschlungenen silbernen Zeichen. Und der grüne Nebel, der herausquoll, als es sich öffnete, war unsere Fahrkarte durch 3500 Jahre nach Hause.

12

Sam saß auf meinem Bett und bewunderte Freds Ochsenledersandalen. Jede andere Spur von unseren ägyptischen Kleidern, unserem Schmuck und Make-up war irgendwie verschwunden. „Hübsch", sagte er. „Ich denke, die hier könnten das erste Paar eines ganz neuen Sportschuhmodells sein – *die luftigen Thutmosis III.*"

Fred drehte seinen Schaukasten über die Mumifizierung gegen die Wand. „Gegen die Sandalen habe ich nichts, aber erwähnt mir gegenüber nie mehr das Wort ‚Mumie'. Ich kriege Zustände, wenn ich auch nur daran denke, so eingewickelt zu werden."

„Ich frage mich, was wohl passiert ist, als Thutmosis mit Hatschepsut zurückkam", sagte ich. Ich baute die letzte von den neuen Zuckerwürfelsäulen ein, die das Grab von König Tut in Hatschepsuts Tempel verwandelten. „Meint ihr, dass sie Schaiskals Geschichte geglaubt haben?"

„Ich weiß nicht", sagte Sam und rollte seine Totenbuch-Schriftrolle zusammen. „Ich denke, sie haben wahrscheinlich gewusst, dass er irgendwas Hinterhältiges angestellt hat. Aber ich wette, dass er jedenfalls damit durchgekommen ist, sich seinen geheimen Raum herzurichten."

Ich blätterte in meinem Buch *Die Kulturen des alten Ägypten.* „Hier steht, dass Thutmosis III. einer der erfolgreichsten Pharaonen des alten Ägypten war. Sie nennen ihn den ‚ägyptischen Napoleon'. Aber hört euch das hier mal an: Nachdem Hatschepsut gestorben war, wurden ihre Statuen zerschlagen, und die meisten Denkmäler mit ihrem Namen drauf wurden verunstaltet. Einige geben Thutmosis die Schuld, aber man weiß nicht wirklich, wer es getan hat."

„Dreimal darfst du raten, welcher hinterhältige glatzköpfige Priester das war", sagte Sam. „Und die ersten beiden Male zählen nicht mit."

Es klopfte an meine Tür. Sam versteckte die Sandalen unter meinem Bett. Wir versuchten alle, so unschuldig wie möglich auszusehen. „Herein", sagte ich.

Die Tür flog auf, und da stand Anna und hielt Cleo und Barbie auf dem Arm. Sie streckte ihre Hand aus. „Taschengeld, bitte. Joe, du machst diese Woche das Katzenklo sauber. Sam macht es nächste Woche sauber. Und Fred kann es in der Woche darauf sauber machen."

Fred und ich gruben in unseren Taschen und übergaben unser Bares. Sam behielt einfach seine Hände vor der Brust gekreuzt. „Weißt du – ich glaube nicht, dass wir die Wette wirklich verloren haben, weil es Cleo war, die uns geholfen hat, nicht Isis. Ich meine, hör doch mal, Isis ist eine mythologische Gestalt. Was für einen Beweis haben wir denn, dass es nicht einfach ein glücklicher Zufall war? Vielleicht hat Cleo gerade bloß nach ihrem Klo gesucht und dabei den Papyrusstapel umgestoßen, in dem *Das Buch* versteckt war."

Anna setzte ihre Barbie-Puppe auf meinem Zuckerwürfeltempel ab. „Vielleicht könnten wir Isis bitten, dich zum Beweis wieder einzuwickeln und in dem Raum da zu begraben."

Sam sah Anna an. Cleo richtete sich in Annas Armen auf und starrte Sam mit weit aufgerissenen goldenen Augen und gespitzten Ohren durchdringlich an. Sam grub in seinen Taschen, so schnell er konnte.

„Andererseits, da es praktisch unmöglich wäre, die genauen Umstände für einen gültigen wissenschaftlichen Beweis wieder herzustellen – gebe ich dir einfach das Geld."

Anna lächelte, stopfte ihre Hand voll Dollar in die Jeans und ging hinaus.

Sam, Fred und ich sahen einander an und zuckten mit den Schultern.

Und ich weiß nicht, was für einen Gesichtsausdruck die meisten Barbie-Puppen haben, aber die, die gerade auf meinem Zuckerwürfelmodell von Hatschepsuts Tempel saß, hat zweifellos ein breites Grinsen drauf.

ZUGABE: ZUORDNUNGSRÄTSEL

Ordne den Begriffen links die beste
Beschreibung rechts zu:

1. Inundation

A. Ein Junge und König,
von dem Joe dachte, er
würde in diesem Buch
auftauchen, was er aber
nicht tut.

2. König Tut

B. Die Göttin mit dem
Anch, dem Henkelkreuz
als Symbol des Lebens;
Ehefrau und Schwester
von Osiris, Retterin der
drei Zeitverdreher.

3. *Schaduf*

C. Freds Basketballschuhe.

4. Thutmosis III.

D. Grabbeilage; statt des
Toten geben diese Ton-
figuren den Göttern in
der Unterwelt Antwort
und führen deren Auf-
gaben aus.

5. Hatschepsut

E. Die Jahreszeit, in der der Nil seine Ufer überflutet.

6. Isis

F. Eine lange Stange mit einem Eimer und einem Gegengewicht zum Wasserschöpfen aus dem Nil.

7. Magische Sandalen

G. Ein Junge und König, der auf den Ring zudribbeln, sich dabei im Kreis drehen und den Ball hineinschmettern konnte; auch bekannt als der „ägyptische Napoleon".

8. *Uschebti*

H. Ich wette mit dir um dein Taschengeld und eine Woche Katzenklo-Saubermachen, dass sie eine Pharaonin war.

Die Deutsche Bibliothek – CIP-Einheitsaufnahme

Scieszka, Jon:
Die drei Zeitverdreher : Tut Tut ! / Jon Scieszka.
Mit Ill. von Lane Smith. Aus dem Amerikan. von
Wolfram Sadowski. – München : tabu-Verl., 1998
(Tabuphil)
ISBN 3-89692-145-2

tabu® – Der Taschenbuchverlag
© Copyright text: Jon Scieszka, 1996
© Copyright illustrations: Lane Smith, 1996
First published 1996 by Viking, a division of
Penguin Books USA Inc.
Original title: Tut, Tut
Für die deutschsprachige Ausgabe:
© Copyright 1998 tabu verlag, D-81675 München
tabuphil – deutsche Erstausgabe
Alle Rechte vorbehalten, auch die des auszugsweisen Abdrucks,
gleich welcher Medien
ISBN 3-89692-145-2